Qui a tué
Minou-Bonbon ?

Mini Syros Polar

Couverture illustrée
par Antonin Louchard

ISBN : 978-2-74-850571-9
© Syros, 1986
© Éditions La Découverte et Syros, 1997
© Syros/VUEF, 2002
© Syros, 2005, 2007

Qui a tué Minou-Bonbon ?

Joseph Périgot

Pour Clément, Colin,
Swann et les autres

MINOU
BONBON
MI de chemise
NOU de genou
BON de bonbon

Quand il était jeune, le père Latuile était un grand navigateur. Il naviguait sur les toits du quartier – gaiement, car il adorait son métier de couvreur.

– Eh ! Latuile ! lui criait-on d'en bas, nous tombe pas d'sus ! On en reçoit assez comme ça, d'tuiles !

Latuile rigolait.

Latuile rigolait tout le temps.

Les nuits de tempête, il ne tenait pas au lit. Il sillonnait le quartier, tout excité. Il applaudissait quand une tuile s'envolait. Et quand une cheminée dégringolait, il criait :

– Youpi !

Le lendemain, il s'élançait sur sa grande échelle coulissante, avec ses outils de couvreur. Et avec ses bonbons. Oui, plein de bonbons dans les poches du veston. Le père Latuile était gourmand comme un chat.

Un jour, pourtant, dans une gouttière, il était tombé sur un chat (de gouttière) plus gourmand que lui, plus gourmand que tous les chats.

– Oh ! le cochon ! s'était écrié Latuile, il m'a piqué tous mes bonbons ! (Le chat s'était caché derrière une cheminée.) T'as même bouffé les papiers avec, eh ! petit couillon !

Il avait appelé le petit couillon « Minou-Bonbon », et Minou-Bonbon ne l'avait plus quitté.

Pendant des années, ils avaient ensemble navigué sur les toits, ils avaient ensemble vieilli, leur poil avait blanchi.

Il n'était plus question aujourd'hui de monter sur les maisons. Ils passaient leurs journées sur le pas de la porte, à mâchonner des caramels. Des caramels mous. Ça se mange sans dents, les caramels mous.

Nico était leur meilleur copain, dans le quartier. Dès que Nico apparaissait au bout de la rue (et c'était le cas tous les matins d'école), Minou-Bonbon s'élançait vers lui sur ses vieilles pattes, et lui sautait à la poche. À tous les coups, il récoltait un caramel.

– Vieux voleur ! criait gentiment le père Latuile.

Nico sortait un bout de craie du fond de son cartable. Il écrivait sur la route :

MINOU-BONBON ET UN VOLEURE

Nico écrivait ça pour rire, mais surtout pour écrire. Il adorait écrire. Il adorait son métier d'écolier. Au CP, il était premier.

Pourtant, c'était bien vrai qu'il était voleur, ce vieux minou. Il avait un tas de défauts. Aussi comptait-il beaucoup d'ennemis dans le quartier.

Dubeuf, par exemple. Le boucher. Devenu boucher parce qu'il n'aimait pas les bêtes.

Minou-Bonbon changeait de trottoir devant la boucherie, mais il ne pouvait pas s'empêcher d'entrer chez Hursant, le marchand de journaux, en face de l'école : Hursant vendait aussi des bonbons ! Dès qu'il apercevait Minou-Bonbon, il roulait ses gros yeux de poisson. Au CP, on l'appelait Poil-au-Nez, parce que de grands poils sortaient de son nez.

Quant à madame Ajax, c'était la spécialiste des coups de balai. Toute la journée, elle en donnait à sa maison : aux murs, aux meubles et au pavé ; sa maison était la plus propre du quartier. Minou-Bonbon y avait droit – un grand coup sur le dos – quand il allait pisser sur sa porte pour l'embêter.

– Minou-Bonbon, Minou-Cochon ! disait le père Latuile, tu l'as bien mérité !

Un matin, Nico fut étonné de ne pas trouver ses vieux copains sur le pas de leur porte. Bizarre-bizarre. Il jeta un œil par la fenêtre : le vieux bonhomme était assis dans son fauteuil.

Il sursauta quand Nico frappa au carreau, puis tourna la tête, lentement. Et il montra des yeux pleins de larmes.

« C'est les enfants qui pleurent », se dit Nico. Il écrivit sur le mur :

SE LES ENFANT QUI

Mais il se ravisa. Poussa la porte. Minou-Bonbon aussi était là. Allongé aux pieds du père Latuile. Bizarrement immobile. Et voilà que du sang coulait de son museau.

– Il est malade ? demanda Nico. Il est mort ?

Le père Latuile dit oui avec sa tête, ce qui fit tomber les larmes qu'il avait au bord des yeux.

– On l'a tué à coups de bâton. Il est revenu mourir chez lui.

Pour s'empêcher de pleurer, Nico sortit une poignée de caramels. Ça console, les caramels. Il s'accroupit près du pauvre vieux père Latuile. Ils mâchonnèrent tous les deux, silencieusement, en pensant à Minou-Bonbon qui était mort. C'est incroyable d'être mort quand on a été vivant.

Ce qui est encore plus incroyable, pensait Nico sur le chemin de l'école, c'est qu'il existe des gens qui tuent. Qui tuent les animaux. Qui tuent même les enfants. Ils existent, et on les croise dans la rue, ces gens qui tuent.

Quelqu'un, dans le quartier, avait tué Minou-Bonbon. Dubeuf, le boucher, peut-être. Ou l'affreux Poil-au-Nez. Ou bien encore la sèche madame Ajax.

Il écrivit sur la route, sur les murs, et même sur une voiture :

QUI A TUÉ MINOU-BONBON ?

Il n'était plus triste, il était en colère. Comment voulez-vous qu'il écoute la maîtresse ? Plus il pensait à l'assassin, plus il était en colère.

– Nicolas ! dit la maîtresse, tu es dans la lune ! Viens au tableau. Écris-moi un mot avec MI de chemise.

Nico écrivit :

MINOU-BONBON

Tout le monde rit.

Nico s'enfuit, criant : « Je trouverai l'assassin ! Je le trouverai ! »

– Mais enfin, Nicolas ! disait la maîtresse.

Nicolas s'en foutait de la maîtresse. Il courait. Traversait la cour de récréation. Escaladait la barrière fermée à clé. Il était dans la rue.

Tous ses copains étaient dans la classe, lui était dans la rue.

Brusquement, il s'arrêta : Poil-au-Nez, sur le trottoir d'en face, roulait ses gros yeux de poisson.

– Eh ben ! cria-t-il, tu sors rudement de bonne heure !

Nico détala à toute vitesse, pour échapper à ces gros yeux blancs. Et c'est tout essoufflé qu'il arriva devant chez le père Latuile.

La grande et vieille échelle coulissante était dressée sur le trottoir. Pleine de toiles d'araignée. Comment le père Latuile avait-il fait pour la tirer de sa cave ?

Il était même grimpé, le vieux bonhomme. Ses pieds pendaient sur le dernier barreau. « Père Latuile ! appela Nico. Père Latuile ! »

Aucune réponse. Nico monta donc à son tour. Pas très rassuré sur cette échelle branlante.

Il toucha la jambe du père Latuile.

– Tu vas voir si ton père te voit, bougonna le vieux.

Minou-Bonbon était couché dans la gouttière, comme endormi.

– C'est dans la terre qu'on enterre, dit Nico.

– Quand on est mort, on retourne d'où on est venu... Lui, il est venu des toits, voilà... Et pourquoi t'es pas à l'école, toi ?

– Je vais trouver l'assassin.

– Ça ne changera rien, dit le vieux, tristement.

– Je le trouverai quand même, père Latuile.

Dans la maison du vieux couvreur, il y avait une grande flaque de sang. Nico fit la grimace. Du sang ! SAN de sanglier, un G en plus. Il écrivit sur le pavé : SANG.

C'est en écrivant que l'idée lui est venue. Non loin de la grande flaque, il y avait deux simples gouttes. Puis deux autres près de la porte d'entrée.

« Minou-Bonbon les a perdues quand il est revenu chez lui, se dit Nico. Si je suis les gouttes, je remonterai jusqu'à l'assassin... »

– Jusqu'à l'assassin ! dit-il à voix haute.

Aussitôt, il se lança sur la piste du sang. Tout excité.

Ce n'était pas un travail facile. Souvent, la piste était interrompue : ou des voitures s'étaient garées, ou des gens avaient marché dessus.

Devant le café du coin, Nico était penché sur le ruisseau, tout à son affaire, quand une voix se fit entendre, très en colère :

– Nicolas, qu'est-ce que ça veut dire ?

C'était son père.

– Il est onze heures et tu n'es pas en classe ?

– Je cherche l'assassin de Minou-Bonbon, dit Nico en montrant les gouttes de sang.

– Tu cherches quoi ?

Le père fronçait les sourcils.

– Je cherche l'assassin de...

Et Nico fondit en larmes.

Le père de Nico ne supportait pas de voir pleurer Nico.

– Qu'est-ce que c'est que cette histoire, petit ? dit-il en se radoucissant. Explique-moi.

– C'est pas une histoire, papa, c'est vrai !

près qu'il eut raconté l'histoire vraie à son père, Nico n'était plus le seul à remonter la rue pour suivre les gouttes de sang. L'assassin n'avait qu'à bien se tenir ! Ils étaient deux : père et fils. Nico écrivit sur la route :

ON ARIVE ASSASSSIN

– Ça manque d'R et il y a trop d'S, dit le père en riant.

Mais Nico se moquait bien de l'orthographe. Il s'était caché derrière une voiture : Dubeuf, le boucher, était en train de traverser la rue avec un demi-mouton sur l'épaule.

Dubeuf avait coupé la bête en deux, avec un de ses grands couteaux, sûrement, et la bête morte – morte comme Minou-Bonbon – laissait couler son sang sur la chaussée.

Nico n'avait peur de rien avec son père. Aussi se rua-t-il sur Dubeuf en criant : « Assassin ! Assassin ! » Il le tambourinait de toutes ses forces. Dubeuf

ne comprenait rien et disait : « Mais...
Mais... Mais... » Il faillit lâcher son demi-
mouton. La colère donne des forces :
Nico frappait fort. Il n'entendait pas
son père qui répétait :

– Nicolas ! Voyons ! Nicolas !

Il fallut que son père l'empoigne. Et
il se passa un certain temps avant que
Nico comprenne ce qu'il lui disait à
l'oreille :

– Il y a des gouttes de sang de ton
Minou après la boucherie, Nicolas.
Il faut continuer la piste. Ce n'est pas
Dubeuf...

– Si ce n'est pas Dubeuf, dit Nico, en
s'échappant des mains de son père, c'est
la sale mère Ajax !

Il courut jusqu'à la maisonnette de la mère Ajax, un peu plus haut. Celle-ci écarta son rideau. Ouvrit sa fenêtre.

– Qu'est-ce que tu cherches, mon petit Nicolas ? demanda-t-elle d'une voix très douce.

Madame Ajax pouvait donc avoir une voix très douce !

Nico, après sa bêtise avec Dubeuf, se sentit un peu désemparé. Son père l'avait rejoint, et dit :

– Il faut continuer, Nico. Regarde, les gouttes continuent. Quand on mène une enquête, il faut suivre la piste méthodiquement. Il ne faut pas s'emballer. Il ne faut pas accuser le premier venu... Allez, monsieur le commissaire Nicolas, on poursuit l'enquête...

Le commissaire Nicolas était persuadé que c'était Poil-au-Nez, le coupable, mais il n'osait même pas le penser. Père et fils continuèrent main dans la main, sans se presser.

En tout cas, Nico était sûr d'une chose : tôt ou tard, ils y arriveraient, à l'assassin.

Ils y arrivèrent.

L'assassin – vous l'avez deviné – c'était Poil-au-Nez.

La colère de Nico était tombée. Il regardait silencieusement Poil-au-

Nez, qui roulait ses yeux de poisson, comme d'habitude, et qui tremblait, et qui était tout blanc.

Le père de Nico, en revanche, était tout rouge. Il insultait Poil-au-Nez. Il donna même un grand coup de poing sur le comptoir, et un bocal de Carambar se fracassa par terre.

Il était onze heures et demie. La sortie de l'école. Ça réveilla Nico. Il cria du pas de la porte :

– Poil-au-Nez a tué Minou-Bonbon !

Tous les enfants se précipitèrent dans la boutique, et ce fut le chambarde-ment. Le père de Nico ne put rien y faire. Les journaux furent déchirés, les bocaux renversés et cassés.

Mais les bonbons ne furent pas perdus : les petits copains, les petits coquins du CP s'en mirent plein les poches. C'était, en fin de compte, la meilleure punition pour Poil-au-Nez, qui était bête, qui était méchant, et bien connu pour son avarice.

onduite par Nico, la bande du CP se retrouva vite au pied de la grande échelle. Le père Latuile n'avait pas bougé.

– Père Latuile, on l'a trouvé ! cria Nico.

Tout le monde a fait silence, quand Nico est monté. Son père tenait l'échelle. Le père Latuile regardait droit devant lui, par-dessus les toits.

Il avait une main posée sur le corps de Minou-Bonbon.

– C'est Poil-au-Nez, dit Nico.

– Ça ne change rien du tout, dit le vieux, faiblement. Ça me redonne pas le Minou...

– Tenez, père Latuile, je lui ai piqué plein de caramels...

– T'es gentil, mon p'tit gars... Descends, maintenant. Moi je reste là, j'ai plus rien à faire en bas.

Les uns après les autres, les copains de Nico montèrent à la gouttière. C'était comme un enterrement : ils allaient dire adieu à Minou-Bonbon et serrer la main au vieux Latuile. Tout le monde avait la larme à l'œil.

Nico écrivit sur la rue – en grandes lettres pour qu'on puisse lire d'en haut :

ADIEU MINOU-BONBON

Inquiets de ne pas voir rentrer les enfants, les parents s'étaient retrouvés au pied de l'échelle. Il y avait toute une foule, mais personne n'essayait plus de faire descendre le père Latuile. On lui monta une part de flan, de la part de la boulangère. Ça se mange sans dents, le flan.

Un vieux maçon, vieux copain du vieux couvreur, retira sa pipe et cria :

– Eh ! Latuile ! nous tombe pas d'sus !

Latuile ne rigola pas.

Tout à coup, une petite chatte rouquine traversa la foule.

Sans hésiter, elle sauta sur le premier barreau de l'échelle et, en un clin d'œil, elle était en haut. Hop ! elle s'élança dans les bras du père Latuile.

Cette petite rouquine était bien connue dans le quartier. On l'appelait Minette-Biscotte, parce qu'elle adorait ça. Elle traînait le plus souvent chez la boulangère, et se prenait une tape sur les oreilles, quand elle dépouillait les paquets de biscottes Clément.

Qu'est-ce que le père Latuile allait faire ? Allait-il résister à la petite rouquine ?

Les enfants du CP retenaient leur souffle. Ils avaient mal au cou à force d'avoir la tête en l'air. Ils ouvraient de grands yeux.

Le père Latuile se dressa, Minette-Biscotte dans les bras.

On le vit donner une dernière caresse à Minou-Bonbon, qui était mort après une longue existence, puis se mettre à descendre, tout doucement, vers la terre ferme.

Quand il fut arrivé, tout le monde applaudit. Minette-Biscotte ronronnait dans ses bras. Nico et ses copains se mirent à danser autour de lui. Il avait encore l'air bien triste, mais il souriait du bout des lèvres, en caressant Minette avec sa grosse main.

Nico sortit de sa poche ce qui lui restait de craie, un tout petit bout. Il écrivit :

VIVE MINETTE-BISCOTE !

Son père se pencha vers lui et lui murmura :

– Il y a deux T à BISCOTTE, monsieur le commissaire...

Du même auteur, aux éditions Syros

La nuit du voleur et autres histoires noires, « Souris noire », 2004

Hors la loi, « Les uns les autres », 2004

L'auteur

Joseph Périgot aura 156 ans en 2097. Et comme les vieux (c'est bien connu) retombent en enfance, il écrit pour les enfants. Le reste du temps, il fait des films pour la télévision et fume en rêvassant. Il a trois enfants qui sont grands (1,80 m). Il vit dans l'oxyde de carbone, à Paris.

Dans la collection
« Mini Syros Polar »

Armand chez les Passimpas
Olivier Mau

J'ai tué mon prof!
Patrick Mosconi

Aller chercher Mehdi à 14 heures
Jean-Hugues Oppel

Chacun voit Mehdi à sa porte
Jean-Hugues Oppel

Trois fêlés et un pendu
Jean-Hugues Oppel

Qui a tué Minou-Bonbon ?
Joseph Périgot
(Sélectionné par le ministère de l'Éducation nationale)

On a volé mon vélo !
Éric Simard

Pas de whisky pour Méphisto
Paul Thiès
(Sélectionné par le ministère de l'Éducation nationale)

Les Doigts rouges
Marc Villard
(Sur la précédente liste du ministère de l'Éducation nationale)

Menaces dans la nuit
Marc Villard

Loi n° 49-956 du 16 juillet 1949
sur les publications destinées à la jeunesse,
modifiée par la loi n° 2011-525 du 17 mai 2011.

Mise en pages : DV Arts Graphiques à La Rochelle.
N° d'éditeur : 10117367 – Dépôt légal : octobre 2013
Achevé d'imprimer en janvier 2016
par la Société Nouvelle Clerc (18200, Saint-Amand-Montrond, France)